中华人民共和国国家标准

通信局(站)防雷与接地工程验收规范

Acceptance code for lightning protection and earthing engineering of telecommunication bureaus (stations)

GB 51120 - 2015

主编部门：中华人民共和国工业和信息化部
批准部门：中华人民共和国住房和城乡建设部
施行日期：2 0 1 6 年 5 月 1 日

中国计划出版社

2015 北 京

中华人民共和国国家标准
通信局(站)防雷与接地工程验收规范
GB 51120-2015

☆

中国计划出版社出版

网址:www.jhpress.com

地址:北京市西城区木樨地北里甲11号国宏大厦C座3层

邮政编码:100038　电话:(010)63906433(发行部)

新华书店北京发行所发行

三河富华印刷包装有限公司印刷

850mm×1168mm　1/32　1.75印张　41千字

2016年1月第1版　2016年1月第1次印刷

☆

统一书号:1580242·816

定价:12.00元

版权所有　侵权必究

侵权举报电话:(010)63906404

如有印装质量问题,请寄本社出版部调换

中华人民共和国住房和城乡建设部公告

第 888 号

住房城乡建设部关于发布国家标准《通信局(站)防雷与接地工程验收规范》的公告

现批准《通信局(站)防雷与接地工程验收规范》为国家标准,编号为 GB 51120—2015,自 2016 年 5 月 1 日起实施。其中,第 3.0.1、6.3.2、6.3.4 和 7.3.1 条为强制性条文,必须严格执行。

本规范由我部标准定额研究所组织中国计划出版社出版发行。

中华人民共和国住房和城乡建设部
2015 年 8 月 27 日

前　言

根据住房城乡建设部《关于印发〈2009年工程建设标准规范制定、修订计划〉的通知》(建标〔2009〕88号)的要求,由中国通信建设集团有限公司会同有关单位共同编制而成。

本规范在中华人民共和国工业和信息化部《通信局(站)防雷与接地工程验收规范》YD/T 5175—2009的基础上,规范编写组经调查研究,认真总结实践经验,广泛征求意见,最后经审查定稿。

本规范共分9章和2个附录,主要内容包括:总则、术语、基本规定、接地装置、直击雷防护装置、等电位连接、线缆的接地与保护、防雷器、工程验收等。

本规范中以黑体字标志的条文为强制性条文,必须严格执行。

本规范由住房城乡建设部负责管理和对强制性条文的解释,工业和信息化部负责日常管理,中国通信建设集团有限公司负责具体技术内容的解释。在执行本规范过程中,如有意见和建议,请寄中国通信建设集团有限公司(地址:北京市丰台区南方庄甲56号,邮政编码:100079),以供今后修订时参考。

本规范主要编制单位、参编单位、主要起草人和主要审查人:

主 编 单 位: 中国通信建设集团有限公司
参 编 单 位: 华信邮电咨询设计研究院有限公司
河南省城市规划设计研究总院有限公司
主要起草人: 侯明生　董春光　王　莹　叶向阳　丁海峰
宋立新　申冠学　李静豪
主要审查人: 刘吉克　叶　荣　陈　强　赵　燕　孙晓东
徐连坤　许伟杰　周　璟　卢智军　冯　璞
刘新茂　张京明　刘正自

目 次

1 总则 …………………………………………………… (1)
2 术语 …………………………………………………… (2)
3 基本规定 ……………………………………………… (5)
4 接地装置 ……………………………………………… (7)
   4.1 接地体与接地网 ………………………………… (7)
   4.2 接地引入线 ……………………………………… (8)
5 直击雷防护装置 ……………………………………… (10)
   5.1 接闪器 …………………………………………… (10)
   5.2 引下线 …………………………………………… (10)
6 等电位连接 …………………………………………… (12)
   6.1 接地排及接地汇集线 …………………………… (12)
   6.2 设施的接地 ……………………………………… (12)
   6.3 接地线 …………………………………………… (13)
7 线缆的接地与保护 …………………………………… (14)
   7.1 馈线 ……………………………………………… (14)
   7.2 入局线缆 ………………………………………… (14)
   7.3 弱电信号线缆 …………………………………… (15)
8 防雷器 ………………………………………………… (18)
9 工程验收 ……………………………………………… (20)
   9.1 随工验收 ………………………………………… (20)
   9.2 竣工验收 ………………………………………… (20)
附录 A 接地电阻的测量 ……………………………… (23)
附录 B 通信局(站)防雷与接地工程随工检验表 …… (25)
本规范用词说明 ………………………………………… (33)
引用标准名录 …………………………………………… (34)
附：条文说明 …………………………………………… (35)

Contents

1 General provisions ...... (1)

2 Terms ...... (2)

3 Basic requirement ...... (5)

4 Earth-termination system ...... (7)

   4.1 Earthing electrode and earthing grid ...... (7)

   4.2 Earthing connection ...... (8)

5 Direct stroke protection system ...... (10)

   5.1 Air-terminal system ...... (10)

   5.2 Down-conductor system ...... (10)

6 Equipotential bonding ...... (12)

   6.1 Earth terminal and mail earthing conductor ...... (12)

   6.2 Facility equipotential bonding connection ...... (12)

   6.3 Earth conductor ...... (13)

7 Earthing and preotection of cables ...... (14)

   7.1 Feeder cables ...... (14)

   7.2 Entry cables ...... (14)

   7.3 Signal cables ...... (15)

8 Surge protective device ...... (18)

9 Engineering acceptance ...... (20)

   9.1 On-site acceptance ...... (20)

   9.2 As-built acceptance ...... (20)

Appendix A Measurement of earthing resistance ...... (23)

Appendix B Table of on-site acceptance inspection ...... (25)

Explanation of wording in this code ...... (33)

List of quoted standards ...... (34)

Addition: Explanation of provisions ...... (35)

1 总则

1.0.1 为加强通信局(站)防雷与接地工程质量监督管理,统一工程施工质量与验收要求,保证工程质量和防雷与接地装置安全运行,制定本规范。

1.0.2 本规范适用于新建、扩建和改建通信局(站)防雷与接地工程的验收。

1.0.3 通信局(站)防雷与接地工程验收除应符合本规范外,尚应符合国家现行有关标准的规定。

2 术　　语

2.0.1 联合接地　common earthing
将通信局(站)各类通信设备不同的接地方式,包括通信设备的工作接地、保护接地、屏蔽体接地、防静电接地、信息设备逻辑地等和建筑物金属构件及各部分防雷装置、防雷器的保护接地等连接在一起,并与建筑物防雷接地共同合用建筑物的基础接地体及外设接地系统的接地方式。

2.0.2 接闪器　air-termination system
用于承接直击雷放电,从而使被保护物免受雷击的装置。包括避雷针、避雷带(线)、避雷网以及用作接闪的金属屋面和金属构件等。

2.0.3 引下线　down-conductor system
连接接闪器与接地装置的金属导体。

2.0.4 直击雷防护装置　direct stroke protection system
接闪器和引下线的总和。

2.0.5 接地体　earthing electrode
为达到与地连接的目的,一根或一组与土壤(大地)密切接触并提供与土壤(大地)之间的电气连接的导体。

2.0.6 接地网　earthing grid
由埋在地中的互相连接的裸导体构成的一组接地体,用以为电气设备或金属结构提供共同的地。

2.0.7 接地引入线　earthing connection
接地网与总接地汇流排之间相连的导体。

2.0.8 接地装置　earth-termination system
接地引入线和接地网的总和。

2.0.9 等电位连接　　equipotential bonding

将分开的装置或多个导电物体用导体或防雷器连接起来以减小雷电流在它们之间产生的电位差。

2.0.10 接地线　　earth conductor

接地线是等电位连接中使用的线缆,指通信局(站)的设备、电梯轨道、吊车、金属地板、金属门框架、金属管道、金属电缆桥架、外墙上的栏杆等大尺寸的内部导电物就近可靠连到接地汇流排或接地汇集线上之间的线缆。

2.0.11 接地排　　earth terminal

汇集各类接地线的导体。

2.0.12 接地汇集线　　mail earthing conductor

接地汇集线是指作为接地导体的条状铜排或扁钢等,在通信局(站)内通常作为接地系统的主干线,按照敷设方式可以分类为水平接地汇集线、垂直接地汇集线、环形接地汇集线或条形接地汇集线。

2.0.13 接地系统　　earthing system

系统、装置和设备的接地所包含的所有电气连接和器件,包括埋在地中的接地体、接地线、与接地体相连的电缆屏蔽层、及与接地体相连的设备外壳或裸露金属部分、建筑物钢筋、构架在内的复杂系统。

2.0.14 滚球法　　rolling sphere method

电气几何理论应用在建筑物防雷分析的简化分析方法。滚球法涉及沿被保护物体表面滚动一规定半径的假想球,此球在避雷针、避雷线、围栏和其他接地的金属体支持下,上下滚动以供计算雷电保护范围用。一个设备若在球滚动所形成的保护曲面之下,它受到保护,触及球或穿入其表面的设备得不到保护。

2.0.15 土壤电阻率　　earth resistivity

表征土壤导电性能的一个参数,它的值等于单位立方体土壤相对两面间的电阻,单位是$\Omega \cdot m$。

2.0.16 工频接地电阻 power frequency earthing resistance

工频电流流过接地装置时,接地体与远方大地之间的电阻。其数值等于接地装置相对于远方大地的电压与通过接地体流入地中的电流的比值。

2.0.17 防雷器 surge protective device,SPD

在雷电过电压、操作过电压等情况下对通信系统实施保护的器件。通过抑制瞬态过电压以及旁路浪涌电流来保护设备的装置,它至少含有一个非线性元件。

3 基本规定

3.0.1 通信局(站)的接地系统必须采用联合接地的方式。

3.0.2 通信局(站)的供电方式应符合现行国家标准《通信局(站)防雷与接地工程设计规范》GB 50689 的有关规定。

3.0.3 通信局(站)防雷与接地工程采用的主要设备及材料应符合下列规定：

1 设备及材料的型号、规格应符合工程设计要求，当需使用替代材料时，应经建设单位和设计单位同意，并应办理变更手续后使用；

2 设备及材料进场时应进行检验，并应检验合格后使用；

3 室外钢材料、紧固件应采用热镀锌制品或不锈钢制品；

4 镀锌制品的镀锌层应覆盖完整、表面无锈斑。

3.0.4 防雷与接地系统中采用螺栓连接时，应对接触表面进行打磨处理并应加装防松零件。

3.0.5 防雷与接地系统中采用焊接方式连接或固定时，应去除涂料、油漆、瓷釉等非导电涂层，焊接应牢固，焊缝应饱满、光滑，焊接部位应无虚焊、气孔现象。

3.0.6 钢材之间采用搭接焊连接时，搭接长度及焊接方法应符合下列规定：

1 扁钢与扁钢搭接，其搭接长度不应少于扁钢宽度的 2 倍，并不应少于三侧施焊；

2 圆钢与圆钢搭接，其搭接长度不应少于圆钢直径的 10 倍，并应双侧施焊；

3 圆钢与扁钢搭接，其搭接长度不应少于圆钢直径的 10 倍，并应双侧施焊；

4 扁钢与角钢焊接时,扁钢宽面应紧贴角钢外侧面,并应两面双侧施焊;

　　5 扁钢与钢管焊接时,除应在其接触部位两侧进行焊接外,还应焊以由扁钢弯成的弧形卡子或直接由扁钢本身弯成弧形与钢管焊接,并应保证钢管 3/4 以上的表面与扁钢接触。

3.0.7 防雷与接地系统中的金属表面涂镀层有损伤处和焊接处应做好防腐处理。防腐处理宜采用涂刷沥青或防锈漆等防腐涂料的方法,涂刷防腐涂层前应清除金属表面的尘埃、油污、氧化皮、锈蚀层、污染物、松脱的旧漆膜以及焊点处的药皮,防腐涂层的涂刷应均匀、附着良好、无漏涂、无皱皮、无流坠、无气泡。

3.0.8 防雷与接地系统中当采用放热焊接时,熔接接头应将被连接导体的连接部位完全包裹,应保证连接部位的金属完全熔化,并应连接牢固。

4 接地装置

4.1 接地体与接地网

4.1.1 接地体的位置、长度、间距及接地网的安装方式应符合工程设计要求。

4.1.2 通信局(站)内多个建筑物及铁塔的接地网应使用水平接地体多点连通。

4.1.3 当电力变压器设置在机房内时,变压器应使用联合接地网接地。当电力变压器设置在机房外且变压器接地网边缘距联合接地网边缘小于30m时,应使用水平接地体将变压器接地网与联合接地网焊接连通。

4.1.4 接地体应避开污水排放口和土壤腐蚀性强的区段。

4.1.5 接地体坑、沟应在建筑物散水点以外开挖,且距离建筑物地基应大于1m。

4.1.6 接地体与埋地电力电缆、通信光(电)缆交越或并行时,接地体与线缆之间应按设计要求保持安全距离。当接地网穿越围墙、地基或直埋线缆时,应按设计要求进行加固或保护。

4.1.7 接地体上端埋深不应小于0.7m,在寒冷地区应埋设在冻土层以下。在有永冻层等特殊区域埋设时,埋深应符合设计要求。在土壤较薄的石山或碎石多岩地区可根据具体情况决定接地体的埋深,接地体不宜暴露于地表。

4.1.8 水平接地体应挖沟埋设,敷设应平直;钢质垂直接地体宜直接打入沟内,其间距不宜小于其长度的2倍并应均匀布置;其他材料垂直接地体宜挖坑埋设。水平接地体与垂直接地体之间应采用焊接方式连接。

4.1.9 环形接地体应与建筑物基础地网多点连通,并应与上下水管等各类金属管道系统以及其他进入建筑物的金属导体可靠电气连通。

4.1.10 接地体沟内不宜布放其他缆线。

4.1.11 接地体坑、沟的回填土不应有强腐蚀性,应采用低电阻率的土壤,不应夹有石块、建筑垃圾。

4.1.12 在高土壤电阻率地区使用降阻剂时,降阻剂应均匀包裹在接地体周围。

4.1.13 接地网的接地电阻测试点应设明显标识,其标识应为白底黑色"⏚"符号。

4.1.14 接地网的接地电阻值或地网面积应满足工程设计要求。接地电阻应按照本规范附录 A 规定的测试方法进行测试。

4.2 接地引入线

4.2.1 接地引入线的数量及引入位置应符合设计要求。

4.2.2 接地引入线不宜与暖气管同沟布放,埋设时应避开污水管道和水沟。

4.2.3 接地引入线与地网的连接点应避开引下线及铁塔塔基等雷电流主要泄放点。

4.2.4 接地引入线与接地体之间应采用焊接方式连接。

4.2.5 接地引入线的出土部位、与道路交叉处及其他可能导致接地引入线机械损伤处,均应采用镀锌钢管或镀锌角钢加以保护并应做防腐处理。

4.2.6 接地引入线穿过墙壁、楼板处应加装坚固的套管保护。穿墙套管应露出墙体10mm,穿楼板套管应露出楼板上面30mm、下面10mm;穿过外墙的套管应内高外低,高低差宜为10mm;在墙体拐角处,套管外缘距侧墙表面的距离宜为15mm～20mm。套管管口应使用防火密封材料封堵。

4.2.7 接地引入线的固定应牢固可靠,每个支持件应能承受49N的垂直拉力;支持件间距应均匀,直线部分不宜大于2m,转弯部分不宜大于0.5m。

4.2.8 明敷扁钢接地引入线的室内部分表面宜涂以15mm～100mm宽度相等的绿色和黄色相间的条纹或使用黄绿双色胶带缠绕。

5 直击雷防护装置

5.1 接 闪 器

5.1.1 避雷针的安装位置及高度、避雷带的安装位置、避雷网的网格尺寸应符合工程设计要求。

5.1.2 外露接闪器应采用防腐材料或进行防腐处理。

5.1.3 接闪器之间的连接应采用焊接,不具备焊接条件时应按设计要求连接。

5.1.4 避雷针应垂直固定牢固,避雷针与基座以及避雷针各部件间的连接应牢固可靠。

5.1.5 避雷带及避雷网导线应平整顺直,不得过度扭曲、弯折变形;跨越建筑物变形缝处应留有100mm～200mm伸缩余量。

5.1.6 避雷带及避雷网导线应固定可靠,每个支持件应能承受49N的垂直拉力;支持件间距应均匀,直线部分不宜大于2m,转弯部分不宜大于0.5m,高度不宜小于150mm;支持件应与避雷带或避雷网的接头位置错开。

5.1.7 接闪器的保护范围应符合工程设计要求,检查方法可采用滚球法或45°角法。

5.2 引 下 线

5.2.1 引下线的数量及敷设位置应符合工程设计要求。

5.2.2 利用混凝土内主钢筋作为引下线时,应全程焊接连通;利用建筑物的消防梯、钢柱、钢梁等金属构件作接地引下线时,各构件间应电气贯通。

5.2.3 引下线两端与接闪器、接地装置之间的连接以及引下线的接头应采用焊接。

5.2.4 引下线路径宜短,在直线段上应平直,不得过度扭曲、弯折变形;当需要拐弯时,不应构成锐角,不宜构成直角,应做成弯曲半径较大的漫弯。

5.2.5 引下线应固定可靠,每个支持件应能承受49N的垂直拉力;支持件间距应均匀,直线部分不宜大于2m,转弯部分不宜大于0.5m,支持件应与引下线的接头位置错开。

5.2.6 在易受机械损坏的地方,地面上1.7m至地面下0.3m的一段引下线宜采取暗敷方式。明敷时应采用镀锌钢管、镀锌角钢或改性塑料管保护,保护管应固定牢靠,镀锌钢管、镀锌角钢两端应与引下线焊通。

5.2.7 在人员可停留或经过的地方,地面上2.7m至地面下0.3m的一段引下线宜采取暗敷方式,明敷时应穿不小于3mm厚的交联聚乙烯管。

6 等电位连接

6.1 接地排及接地汇集线

6.1.1 接地排、各层水平接地汇集线、垂直接地汇集线等的材料规格和安装位置应符合工程设计要求。接地排、水平接地汇集线、垂直接地汇集线、环形接地汇集线、建筑物钢筋之间应按工程设计要求可靠连接。

6.1.2 接地排和接地汇集线表面应无毛刺、明显伤痕、残余焊渣，安装应平整端正、牢固可靠。

6.1.3 接地排上应设置永久保留的标识，并应标明接地排用途。

6.1.4 基站的室外接地排应通过接地线直接与地网连接，不应连接在塔身或者室外走线架上，不应与室内接地装置连接。

6.2 设施的接地

6.2.1 通信设备机架应按设计要求用接地线单独连接到接地汇流排上，数字配线架可采用复接方式。

6.2.2 利用机架上的接地螺栓对通信设备外壳接地时，应使用花刺垫片，花刺垫片应位于设备外壳与接地端子之间。

6.2.3 局内射频同轴电缆的外导体和屏蔽电缆的屏蔽层两端应与所连接设备或机盘的金属机壳外表面保持电气连通。

6.2.4 通信局（站）内的电梯轨道、管道、支架、金属支撑构件、金属竖井、金属通风管道、金属门窗、金属槽道、走线架等大尺寸的内部导电物按设计要求就近接地时，金属构件与接地线的连接方式宜采用焊接或螺栓连接。各段金属竖井、金属槽道、走线架间应电气连通，室内走线架不得与室外走线架连通。当接地线与金属管道焊接有困难时，可采用卡箍连接，但应电气连通。

6.2.5 建筑物顶部各种设备的金属外壳、桅杆、抱杆及室外走线架应通过扁钢与楼顶避雷带（网）可靠焊接，并应做好防腐措施。

6.3 接 地 线

6.3.1 接地线上靠近端子处应设置永久保留的标识，并应标明对端位置。

6.3.2 严禁在接地线中加装开关或熔断器。

6.3.3 接地线的敷设应短直、整齐，多余的线缆应截断，不得盘绕；接地线在线槽或走线架上绑扎间距应均匀合理，绑扎扣应整齐，绑扎扣刨头不宜外露。

6.3.4 接地线与设备或接地排连接时必须加装铜接线端子，且应压（焊）接牢固。

6.3.5 接线端子尺寸应与接地线线径吻合；接线端子的平面接触部分应平整、无锈蚀、无氧化；接线端子压（焊）接好后，宜套上黄绿双色的热塑套管，也可缠绕黄绿双色绝缘塑料带。

6.3.6 接线端子与接地排之间应采用镀锌螺栓连接，应一个螺栓压接一根地线，连接应可靠、美观，接地排连接处应进行热搪锡处理。

7 线缆的接地与保护

7.1 馈　　线

7.1.1 天线馈线的金属外护层应按设计要求在塔顶、离塔处和机房外侧分别就近接地，机房外侧接地点应通过室外汇流排接地。高于60m的铁塔应在塔身中部按设计要求增加接地点。

7.1.2 安装在桅杆或抱杆上的天线和馈线外护层宜直接利用桅杆或抱杆的杆体接地。桅杆或抱杆应通过镀锌扁钢与避雷带（网）、楼顶接地端子焊接连通。

7.1.3 馈线金属外护层与接地线的连接宜采用专用接地卡连接，馈线破口处应做好防水处理。

7.2 入局线缆

7.2.1 进、出通信局（站）的各类线缆应埋地引入，线缆的埋地长度应符合设计要求。

7.2.2 入局线缆宜具有金属护套，金属护套在入局处就近接地；无金属外护套的电缆入局应穿钢管，钢管两端应就近接地。

7.2.3 保护钢管与接地线的连接可采用焊接或卡箍连接，线缆的金属外护套与接地线的连接宜采用专用接地卡连接。

7.2.4 入局光缆的金属加强芯和金属护层应与分线盒内或光配线架上的专用接地端子可靠连通，分线盒内或光配线架上的专用接地端子应采用设计规定的线缆就近引接到该楼层接地排或总接地排上；也可就近从机房楼柱主钢筋引出接地端子作为光缆的接地点，但应符合设计要求。

7.2.5 市话电缆的空余线对应通过总配线架接地，其他信号电缆的空余线对应按设计要求接地。

7.2.6 移动通信基站的直流远供馈电线的电缆屏蔽层应按设计要求接地,机房侧的屏蔽层接地应在室外汇流排上。

7.2.7 出入通信局(站)建筑物的航空障碍灯、彩灯、监控设备及其他室外设备的电源线,应采用铠装电力电缆或将电源线穿入钢管内布放,其电缆铠装层或钢管应在进入机房的外侧就近接地。横向布设的电缆金属外护层或钢管应每隔 5m～10m 与避雷带或接地线就近连通,上下走向的电缆金属外护层或钢管至少应在上下两端就近接地一次。

7.2.8 由屋顶进入机房的缆线和太阳能电池馈电线应采用铠装电缆,其铠装层在进入机房入口处应就近与屋顶避雷带焊接连通。

7.3 弱电信号线缆

7.3.1 缆线严禁系挂在避雷网、避雷带或引下线上。

7.3.2 弱电信号线缆应与电力电缆和其他管线分开布放,其隔距应符合表 7.3.2-1 和表 7.3.2-2 的规定。

表 7.3.2-1 弱电信号线缆与电力电缆的净距

类 别	与弱电信号线缆接近状况	最小净距(mm)
380V 电力电缆 容量小于 2kV·A	与信号线缆平行敷设	130
	有一方在接地的金属线槽或钢管中	70
	双方都在接地的金属线槽或钢管中	10
380V 电力电缆 容量 2kV·A～5kV·A	与信号线缆平行敷设	300
	有一方在接地的金属线槽或钢管中	150
	双方都在接地的金属线槽或钢管中	80
380V 电力电缆 容量大于 5kV·A	与信号线缆平行敷设	600
	有一方在接地的金属线槽或钢管中	300
	双方都在接地的金属线槽或钢管中	150

注:当 380V 电力电缆的容量小于 2kV·A,双方都在接地的线槽中,即两个不同线槽或在同一线槽中用金属板隔开,且平行长度小于等于 10m 时,最小间距可以是 10mm。

表 7.3.2-2 弱电信号线缆与其他管线的净距

其他管线类别	最小平行净距(mm)	最小交叉净距(mm)
防雷引下线	1000	300
保护地线	50	20
给水管	150	20
压缩空气管	150	20
热力管(不包封)	500	500
热力管(包封)	300	300
煤气管	300	20

注：线缆敷设高度超过 6000mm 时，与防雷引下线的交叉净距应按 $S\geqslant0.05H$ 计算，H 为交叉处防雷引下线距地面的高度(mm)，S 为交叉净距(mm)。

7.3.3 线缆在走线架上布放时，绑扎间距应均匀合理，绑扎扣应整齐、松紧适宜，绑扎扣刨头不宜外露。

7.3.4 线缆穿越墙壁、楼板和地坪处应套管保护，当用金属管时应将金属管两端就近接地。套管的安装应符合本规范第 4.2.6 条的规定。

7.3.5 弱电信号线缆金属护层和金属构件的接地点不应在作为雷电引下线的柱子附近设立或引入。

7.3.6 非屏蔽弱电信号线缆不宜布放在外墙上。当需要布放在外墙上时，应按设计要求将电缆全部穿入屏蔽金属管内，并应将金属管两端就近接地。

7.3.7 弱电信号线缆敷设在通信塔、抱杆或增高架等金属构架上时，线路应按设计要求采用屏蔽电缆或穿金属保护管敷设，电缆的屏蔽层或金属保护管应两端接地。

7.3.8 监控缆线的布放应符合下列规定：

1 宜远离铁塔等可能遭受直击雷的结构物，不应沿建筑物的墙角布线。

2 不应紧靠建筑物的立柱或横梁，当需紧靠建筑物的立柱或横梁时，应减小沿立柱或横梁的布线长度。

附录 A 接地电阻的测量

A.0.2 本规范规定 d_{12} 和 d_{13} 从地网边缘算起,是分析了大量地网,并且通过理论分析和测试而确定的,不取 $d_{12}=0.618d_{13}$ 而是取 d_{12} 为 $0.5d_{13} \sim 0.55d_{13}$,这其中已经考虑了边缘至地网中心的一段距离,这样,由地网中心到电压极也约相当是到电流极的距离的 0.618。

A.0.5 雨后立即测量,由于地面过于潮湿,测出的接地电阻值不能代表正常情况下的接地电阻值。测试仪表连线应选用绝缘导线,如果用裸导线,会造成多点接地,影响测试值。

9 工程验收

9.2 竣工验收

9.2.3 接闪器的保护范围可依据国家标准《建筑物防雷设计规范》GB 50057—2010"附录 D 滚球法确定接闪器的保护范围"所列方法计算。

8 防 雷 器

8.0.1 防雷器的选型对于通信局(站)的防雷安全至关重要,防雷器选型不当不仅不能保证通信局(站)的防雷安全,而且还可能引起机房火灾等事故。鉴于通信局(站)自身的特殊性,通信行业颁布了一系列适用于通信系统的防雷器的技术要求和测试方法,主要包括现行行业标准《通信局(站)低压配电系统用电涌保护器技术要求》YD/T 1235.1 和《通信局(站)低压配电系统用电涌保护器测试方法》YD/T 1235.2。

7 线缆的接地与保护

7.3 弱电信号线缆

7.3.1 本条为强制性条文,必须严格执行。由于在建筑物遭受雷击时,避雷带、避雷网以及引下线上会有较大的雷电流通过,当缆线系挂在避雷网或避雷带上时,会在缆线上感应较大的过电压侵入机房造成设备损坏。

7.3.8 遭受直击雷的铁塔等结构物会有较大的雷电流通过,电缆靠近这些结构物时,会在缆线上感应较大的过电压侵入机房造成设备损坏。建筑物墙角处的主筋宜被用作防雷引下线,建筑物遭受雷击时主筋中会有较大的雷电流通过,特别是建筑物的外墙角比较容易直接受到侧击雷的雷击,因此缆线应避免布放在墙角处。

6 等电位连接

6.2 设施的接地

6.2.1 复接方法见图 6.2.1。

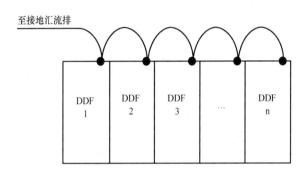

图 6.2.1 复接方法示意图

6.3 接 地 线

6.3.2 本条为强制性条文,必须严格执行。设备接地线是保证设备电气安全和防雷安全的重要设施,在接地线中加装开关或者熔断器,在设备短路时可能会造成接地线断开而使过电流保护设施无法正常动作,由此可能引发人身触电事故或者火灾。

6.3.4 本条为强制性条文,必须严格执行。接地线与设备或接地排连接时,通常是采用螺栓连接。若不使用接线端子而是将接地线直接用螺栓压接到设备或接地排上,接触面不平整,接触可靠性差;过一段时间后,压接螺栓容易松动,造成接触不良。为了保证设备接地线连接的可靠性和低阻值特性,工程中要求必须采用铜接线端子,且压(焊)接牢固。

6.3.6 热搪锡是为了防止铜表面氧化,避免接触电阻增大。

3 基 本 规 定

3.0.1 本条为强制性条文,必须严格执行。联合接地是实现通信局(站)均压等电位的基本措施。联合接地的含义是将局(站)内各建筑物的基础接地体和其他专设接地体相互连通形成一个共用地网,建筑物防雷接地和室内接地系统均由一个共用地网引出。同时,楼内电子设备的保护接地、逻辑接地、屏蔽体接地、防静电接地等共用一组接地系统,局内各开关电源的工作地也要与该接地系统连通,以获得相同的电位参考点。

当高压供电线路或局内铁塔遭受雷击时,变压器地网或铁塔地网会有大量雷电流入地,从而引起变压器地网或铁塔地网出现巨大的地电位升,如不采取联合接地方式,就会对机房内设备产生反击。采用联合接地措施后,可以最大限度地减小系统内产生的雷电过电压,并为过电压保护提供良好的基础。

3.0.6 在国家标准《建筑物电子信息系统防雷技术规范》GB 50343—2004 中规定的圆钢与圆钢、圆钢与扁钢的搭接长度为圆钢直径的 6 倍,在国家标准《通信局(站)防雷与接地工程设计规范》GB 50689—2011 中规定的搭接长度为圆钢直径的 10 倍,为保持通信局(站)防雷与接地工程设计、施工、验收的一致性,本规范要求搭接长度为圆钢直径的 10 倍。

1 总 则

1.0.2 通信局(站)是所有通信站型的统一称呼,包括了综合通信大楼、交换局、数据中心、模块局、接入网站、局域网站点、移动通信基站、室外站、边界站、无线市话站、卫星地球站、微波站等。

目 次

1 总　　则 …………………………………………… (41)
3 基本规定 …………………………………………… (42)
6 等电位连接 ………………………………………… (43)
　6.2 设施的接地 …………………………………… (43)
　6.3 接地线 ………………………………………… (43)
7 线缆的接地与保护 ………………………………… (44)
　7.3 弱电信号线缆 ………………………………… (44)
8 防雷器 ……………………………………………… (45)
9 工程验收 …………………………………………… (46)
　9.2 竣工验收 ……………………………………… (46)
附录 A　接地电阻的测量 …………………………… (47)

制订说明

《通信局(站)防雷与接地工程验收规范》GB 51120—2015,经住房城乡建设部 2015 年 8 月 27 日以第 888 号公告批准发布。

本规范制定过程中,编制组进行了雷电对通信网络的安全运行影响的专题调查,总结了我国通信局(站)防雷与接地工程的实践经验,对涉及通信局(站)防雷与接地工程实施的技术条款进行系统的梳理、补充和修改,同时考虑了与通信局(站)防雷与接地工程的适应性以及与现行相关国家标准的一致性,统一了工程施工质量与验收要求。

为便于广大设计、施工、科研、学校等单位有关人员在使用本标准时能正确理解和执行条文规定,《通信局(站)防雷与接地工程验收规范》编制组按章、节、条顺序编制了本标准的条文说明,对条文规定的目的、依据以及执行中需注意的有关事项进行了说明,还着重对强制性条文的强制性理由作了解释。但是,本条文说明不具备与标准正文同等的法律效力,仅供使用者作为理解和把握标准规定的参考。

中华人民共和国国家标准

通信局(站)防雷与接地工程验收规范

GB 51120-2015

条文说明

引用标准名录

《通信局(站)防雷与接地工程设计规范》GB 50689

本规范用词说明

1 为便于在执行本规范条文时区别对待,对要求严格程度不同的用词说明如下:

1)表示很严格,非这样做不可的:

正面词采用"必须",反面词采用"严禁";

2)表示严格,在正常情况下均应这样做的:

正面词采用"应",反面词采用"不应"或"不得";

3)表示允许稍有选择,在条件许可时首先应这样做的:

正面词采用"宜",反面词采用"不宜";

4)表示有选择,在一定条件下可以这样做的,采用"可"。

2 条文中指明应按其他有关标准执行的写法为:"应符合……的规定"或"应按……执行"。

B.0.8 信号防雷器检查验收表应符合表 B.0.8 的规定。

表 B.0.8 信号防雷器检查验收表

1 验收结果

日期/天气/温度	验收项目	验收意见	随工代表	监理人员	施工人员
年 月 日	信号防雷器				
天气： 温度：℃					

2 检测记录

序号	检测内容	检测结果	防雷器防护类型		
			网络数据线	信号线	同轴天馈线
1	型号				
2	接口形式				
3	数量				
4	安装位置				
5	标称放电电流				
6	接地线截面积				
7	接地线规格、型号、颜色及长度				
8	总体工艺水平				
质量情况		优良			
		合格			
		不合格			

备注：

B.0.7 电源防雷器检查验收表应符合表 B.0.7 的规定。

表 B.0.7 电源防雷器检查验收表

1 验收结果

日期/天气/温度		验收项目	验收意见	随工代表	监理人员	施工人员
年 月 日		电源防雷器				
天气:	温度: ℃					

2 检测记录

序号	检测内容	检测结果	防雷器防护级数			
			一级	二级	精细保护	直流保护
1	型号					
2	数量					
3	安装位置					
4	标称放电电流					
5	交流最大持续工作电压					
6	相线规格、型号及长度					
7	零线规格、型号及长度					
8	接地线规格、型号、颜色及长度					
9	功能检查					
10	状态指示					
11	保护模式					
12	总体工艺水平					
质量情况		优良				
		合格				
		不合格				
备注:						

B.0.6 线缆的接地与保护检查验收表应符合表 B.0.6 的规定。

表 B.0.6 线缆的接地与保护检查验收表

1 验收结果

日期/天气/温度	验收项目	验收意见	随工代表	监理人员	施工人员
年 月 日 天气： 温度：℃	缆线的接地与保护				

2 检测记录

序号	检测内容	检测结果	是否达到设计要求	质量情况			整改意见
				优良	合格	不合格	
1	馈线接地点						
2	馈线破口处防水处理						
3	塔身、桅杆、抱杆的接地						
4	电力电缆的敷设方式、接地情况						
5	光缆、市话电缆的敷设方式、接地情况						
6	信号线缆的敷设方式及保护情况						
7	信号线缆与其他管线的间距						
8	监控信号线缆的敷设位置及屏蔽措施						
9	总体工艺水平						
备注：							

B.0.5 等电位连接检查验收表应符合表 B.0.5 的规定。

表 B.0.5 等电位连接检查验收表

1 验收结果

日期/天气/温度	验收项目	验收意见	随工代表	监理人员	施工人员
年 月 日 天气： 温度：℃	等电位连接				

2 检测记录

序号	检测内容	检测结果	是否达到设计要求	质量情况 优良	质量情况 合格	质量情况 不合格	整改意见
1	接地排和接地汇集线安装位置、标识						
2	接地排和接地汇集线材料规格、质量						
3	室外接地排设置位置、连接地网情况						
4	塔身、桅杆、抱杆等金属物接地情况						
5	低压配电保护接地						
6	线缆金属屏蔽层、金属管接地						
7	设备金属外壳、机架接地						
8	走线槽、架接地						
9	接地线规格、标识						
10	接线端子的制作质量						
11	接地线的敷设路由						
12	总体工艺水平						
备注：							

B.0.4 引下线检查验收表应符合表 B.0.4 的规定。

表 B.0.4 引下线检查验收表

1 验收结果

日期/天气/温度	验收项目	验收意见	随工代表	监理人员	施工人员
年 月 日 天气： 温度：℃	引下线				

2 检测记录

序号	检测内容	检测结果	是否达到设计要求	质量情况 优良	质量情况 合格	质量情况 不合格	整改意见
1	敷设方式						
2	材料规格						
3	数量						
4	长度						
5	焊接、固定质量						
6	安装位置						
7	保护措施						
8	防腐措施						
9	总体工艺水平						

备注：

B.0.3 接闪器检查验收表应符合表 B.0.3 的规定。

表 B.0.3 接闪器检查验收表

1 验收结果

日期/天气/温度	验收项目	验收意见	随工代表	监理人员	施工人员
年 月 日 天气：　　温度：℃	接闪器				

2 检测记录

序号	检测内容	检测结果	是否达到设计要求	质量情况			整改意见
				优良	合格	不合格	
1	接闪器的安装位置						
	避雷针的规格						
2	避雷针的高度						
3	避雷针的数量						
4	避雷带的规格						
5	避雷带的高度						
6	避雷网格的尺寸						
7	避雷网材料规格						
8	防腐措施						
9	总体工艺水平						

备注：

B.0.2 接地引入线检查验收表应符合表 B.0.2 的规定。

表 B.0.2 接地引入线检查验收表

1 验收结果

日期/天气/温度	验收项目	验收意见	随工代表	监理人员	施工人员
年 月 日 天气： 温度：℃	接地引入线				

2 检测记录

| 序号 | 检测内容 | 检测结果 | 是否达到设计要求 | 质量情况 | | | 整改意见 |
				优良	合格	不合格	
1	敷设方式、位置						
2	材料规格						
3	长度						
4	焊接、固定质量						
5	保护方式						
6	防腐措施						
7	总体工艺水平						

备注：

附录B 通信局(站)防雷与接地工程随工检验表

B.0.1 接地体与接地网检查验收应符合表 B.0.1 的规定。

表 B.0.1 接地体与接地网检查验收表

1 验收结果

日期/天气/温度		验收项目	验收意见	随工代表	监理人员	施工人员
年 月 日		接地体与接地网				
天气：	温度：℃					

2 检测记录

序号	检测内容	检测结果	是否达到设计要求	质量情况			整改意见
				优良	合格	不合格	
1	接地体的埋设位置和深度						
2	垂直接地体数量						
3	垂直接地体规格						
4	垂直接地体长度						
5	垂直接地体间距						
6	水平接地体规格						
7	水平接地体总长度						
8	接地网连接情况						
9	回填、恢复质量						
10	焊接质量						
11	防腐措施						
12	测试点标志						
13	总体工艺水平						
14	接地电阻值或地网面积						
备注：							

的2倍,夹角应为30°。

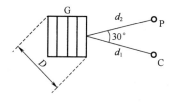 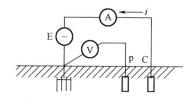

(a)电极布置图　　　　　　(b)原理接线图

图 A.0.4　三角法的原理接线图

G—被测接地装置;P—测量用的电压极;C—测量用的电流极;E—测量用的工频电源;
A—交流电流表;V—交流电压表;D—被测接地网的最大对角线长度

A.0.5　测量接地网的接地电阻值时,应保证电流极和电压极接地可靠,测试仪表连线应选用绝缘导线。雨后不应立即进行接地电阻测试。

附录 A 接地电阻的测量

A.0.1 接地电阻值应采用三极法的原理或三角法的原理进行测试,测试时应采用几个方向的测量值互相比较、互相校核,也可采用三角法和三级法对比互校。

A.0.2 采用三极法的原理(图 A.0.2)测试接地电阻时,电流极与接地网边缘之间的距离 d_{13} 应取接地网最大对角线长度 D 的 4 倍~5 倍,电压极到接地网的距离 d_{12} 宜为电流极到接地网的距离的 50%~60%。测量时,宜将电压级沿接地网和电流极的连线移动三次,每次宜移动 d_{13} 的 5%。

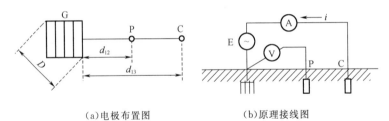

(a)电极布置图　　　(b)原理接线图

图 A.0.2　三极法的原理接线图

G—被测接地装置;P—测量用的电压极;C—测量用的电流极;E—测量用的工频电源;
A—交流电流表;V—交流电压表;D—被测接地网的最大对角线长度

A.0.3 采用三极法的原理测试接地电阻,当 d_{13} 取接地网最大对角线长度 D 的 4 倍~5 倍有困难时,在土壤电阻率较均匀的地区,d_{13} 可取 $2D$,d_{12} 取 D;在土壤电阻率不均匀的地区或城区,d_{13} 可取 $3D$,d_{12} 取 $1.7D$。

A.0.4 采用三角法的原理(图 A.0.4)测试接地电阻时,电流极与接地网边缘之间的距离 d_1 和电压极与接地网边缘之间的距离 d_2 应相等,且 d_1 和 d_2 的值应大于等于接地网最大对角线长度 D

9.2.2 通信局(站)防雷与接地工程竣工验收时,应由施工单位向建设单位(业主)提供一式三份的经监理单位审核后的竣工文件。竣工文件应主要包括下列内容：
  1 项目概况；
  2 开工报告；
  3 建筑安装工程量总表；
  4 已安装的设备或设施明细表；
  5 工程设计变更单或洽商记录；
  6 重大质量安全事故报告单；
  7 停(复)工通知；
  8 随工检验及验收记录表；
  9 完工报告；
  10 交接书；
  11 测试记录；
  12 竣工图纸。

9.2.3 测试记录应包括接闪器的保护范围和接地网的接地电阻(地网面积)。

9.2.4 竣工图纸应包括下列内容：
  1 防雷装置安装竣工图；
  2 接地装置安装竣工图；
  3 等电位连接安装竣工图。

9.2.5 竣工文件应内容齐全,资料完整,版面整洁,数据准确,字迹清楚,规格一致,符合归档要求；竣工文件不得用金属或塑料等材料装订。

续表 9.2.1

项　　目		检 验 内 容
直击雷防护装置	接闪器	1 接闪器的安装位置、数量； 2 接闪器的材料规格、连接方法和防腐处理； 3 接闪器的焊接质量、固定状况； 4 接闪器的保护范围
	引下线	1 引下线的安装位置、数量； 2 引下线的材料规格、连接方法和防腐处理； 3 引下线的焊接质量、固定状况； 4 引下线的保护措施
等电位连接	接地排及接地汇集线	1 接地排及接地汇集线的安装位置及固定情况； 2 材料规格及质量； 3 标识
	设施的接地	1 通信设备的接地情况； 2 金属管道等钢结构件的接地情况； 3 塔身、走线架、桅杆、抱杆等设施的接地情况
	接地线	1 接地线的规格及质量； 2 接地线的敷设路由、安装方法及标识； 3 接线端子的制作质量
缆线的接地与保护	馈线	1 馈线的接地点； 2 馈线破口处的防水处理情况
	进局缆线	1 电力电缆的敷设方式、接地情况； 2 光缆、市话电缆的敷设方式、接地情况； 3 其他进局缆线的敷设方式、接地情况
	弱电信号缆线	1 信号线缆的敷设位置及保护方式； 2 信号线缆与其他管线的间距； 3 监控信号线缆的屏蔽措施
防雷器		1 防雷器的型号、规格； 2 防雷器的安装位置； 3 引线的连接方法、规格及长度； 4 电源防雷器的保护模式； 5 电源用第一级防雷器的功能； 6 交流防雷器的最大持续运行工作电压

电流不宜大于前级供电线路空气开关或保险丝的1:1.6。

8.0.10 信号防雷器应串接在被保护设备与信号通道之间,且应紧靠被保护设备安装。信号防雷器接地线长度应小于0.5m。

9 工程验收

9.1 随工验收

9.1.1 隐蔽工程部分应在覆盖前会同建设单位(业主)或监理单位做好随工检验及验收记录。

9.1.2 通信局(站)防雷与接地工程中隐蔽工程随工验收内容应包括接地网的结构和安装位置,接地体的埋设间距、深度和安装方法,接地体的材质、连接方法和防腐处理,接地引入线、暗敷的引下线和等电位连接线的规格、连接方法和防腐处理。

9.1.3 隐蔽工程部分应在竣工图上标明实际位置。

9.1.4 随工验收项目宜符合本规范附录B的规定。

9.2 竣工验收

9.2.1 防雷与接地工程项目竣工验收时,隐蔽工程部分不应再重复检验,验收项目宜符合表9.2.1规定的内容。

表9.2.1 通信局(站)防雷与接地工程竣工验收项目

项	目	检 验 内 容
综合检查		1 联合接地方式的检查确认; 2 局站供电方式的检查确认
接地装置	接地体与接地网	1 接地测试点的标识; 2 接地网的接地电阻值或地网面积
接地装置	接地引入线	1 接地引入线的安装位置、数量; 2 接地引入线的材料规格、连接方法和防腐处理; 3 接地引入线的焊接质量、固定状况; 4 引下线的保护措施

8 防 雷 器

8.0.1 防雷器及其连接导线的型号、规格和安装位置应符合工程设计要求，接地线应采用黄绿双色线。

8.0.2 防雷器表面应平整、光洁，无划伤，无裂纹和烧焦痕迹。

8.0.3 电源防雷器应安装牢固，其引接线和接地线截面积应符合防雷器相关说明书和规范的要求，并符合下列规定：
对于横式式的防雷器，引接线长度应小于1m，接地线长度应小于1.5m；对于竖式的防雷器，引接线和接地线长度均应小于1.5m。

8.0.4 防雷器的引接线和接地线应通过接线端子连接牢固，接线端子应压接或焊接牢固。

8.0.5 电源第一级防雷器应具有下列功能：
1 电源用第一级模块式防雷器应具有劣化指示，指示状态清晰；
2 电源用第一级箱体式防雷器应具有劣化指示，指示状态清晰，并可遥控遥信劣化功能。

8.0.6 电源防雷器的形式应依据通信局（站）供电方式设计来进行选择，对于TT系统供电方式应选用3+1模式的防雷器。

8.0.7 移动通信基站、接入网站等中小型站点所使用的交流防雷器应采用箱体式。

8.0.8 电源系统在使用多级防雷时，各级防雷器之间应保持大小递增的持续运行工作电压，且不大于385V。

8.0.9 在电源防雷器接至上电接地气《开关应采用箱式的形式于1.5m的连接线做连接件。

3. 其采用直流电源,非直流电源应按设计要求变换或隔置变布放于电缆槽内;直缆后,直缆看看,直缆槽有且缆体应保持全程电气连通,两端应可靠接地,中间应按设计要求妥就近接地。

4. 室内各种线槽敷设的布放其集中在建筑物的中部,应避开电电视视频集中的通道分布区域。